Dominique Roques

Alexis Dormal

PICO BOGUE
QUESTION D'ÉQUILIBRE

DARGAUD

Paris · Barcelone · Bruxelles · Lausanne · Londres · Montréal · New York · Stuttgart · La Hulpe

À Jérôme

PICO BOGUE

LA VIE ET MOI
TOME 1

SITUATIONS CRITIQUES
TOME 2

QUESTION D'ÉQUILIBRE
TOME 3

PICO LOVE
TOME 4

LÉGÈRE CONTRARIÉTÉ
TOME 5

Ana Ana

DOUCE NUIT
TOME 1

DÉLUGE DE CHOCOLAT
TOME 2

Certifié PEFC

Ce produit est issu de forêts gérées durablement et de sources recyclées et contrôlées.

PEFC
10-31-1800   pefc-france.org

www.dargaud.com

© DARGAUD 2013
PREMIÈRE ÉDITION EN 2009
Conception graphique : Philippe Ravon

Dépôt légal : janvier 2013 • ISBN 978-2205-06357-8
Imprimé et relié en France par PPO GRAPHIC, 91120 PALAISEAU

Haricots

Couette

Postillons

Roques & Dormal

Guerre

Roques & Dormal

Gym

Montrer

Passoire

Roques & Dormal

Poupée

Entropie

Clap clap clap

Roques & Dormal

8

Avoir

Foire

Arrêtez !

Traversée

On traverse ?

Tuuuut !!!

Non mais tu es fou ?!?

Tu veux te faire tuer ?

On regarde avant de traverser !

Mais qu'est-ce qu'il faut faire pour te mettre du plomb dans la tête ?

Ça va ?

J'ai l'impression qu'une voiture m'est passée dessus.

Roques & Dormal

Courrier

Maman, regarde ! Le facteur s'est trompé !

Non, c'est pour moi. C'est mon nom de jeune fille.

Tu n'es pas de la famille de papa ?

Je le suis devenue en me mariant avec lui.

C'est chouette ! Il y a quelqu'un d'adopté dans la famille !

Roques & Dormal

11

Masque

Roques & Dormal

Problème

Roques & Dormal

Tapé

Voyage dans le temps 1

Viens voir! J'ai découvert un moyen de voyager dans le temps!

Notre repère temporel sera ce devoir que j'ai fini d'écrire!

Appuie ton front. On va se comprimer la conscience temporelle.

Je sens qu'on revient quelques minutes en arrière.

Viens! Moi, je vais essayer de t'envoyer dans le futur.

Ça, c'est mon caisson transtemporel.

clic

Quand je reviendrai t'ouvrir, on sera une heure plus tard!

Roques & Dormal

14

Nouvelle théorie des couleurs

(ci)trouille

Déguisement

Roques & Dormal

Trompette

Chien

Halloween

Observation

Poils

Antoine

Roques & Dormal

Religions

Roques & Dormal

Latin

Hmmm... il est bon, ce popo-pipi !

On ne parle pas popo-pipi à table !

On va parler latin !

Caca!

Pico!

Quoi ? Tu m'as dit que "caca" venait du latin. Alors si Jules César disait caca...

Il ne le disait pas à table !

Pourquoi ? Tu dis bien caca à table, toi !

Non !

Si ! Tu dis cacao et cacahuètes !

Et nous, on n'en fait pas une cacastrophe !

Ça suffit !

J'ai une devinette ! Papa et caca sont aux toilettes...

Ana Ana !

Caca tombe à l'eau. Qui l'a poussé ?

Ha ! Ha !

On ne parle pas pipi-popo, ce n'est pas intéressant !

Moi je me souviens que tu m'as regardée avec des yeux tout brillants d'admiration et tu m'as fait plein de compliments quand j'ai fait popo dans le pot pour la première fois.

Et plus jamais de ta vie tu ne m'as regardée comme ça.

Roques & Dormal

22

Travailler

Pluie

Ce n'était qu'un petit pipi. On peut y aller.

Pas encore !

Attends qu'il se le soit secoué sinon on va recevoir les dernières gouttes !

Roques & Dormal

Trop-plein

Bébés

Bobby 1

Roques & Dormal

Voyage dans le temps 2

Père Noël 1

Bûches

Roques & Dormal

Clémentine

Roques & Dormal

28

Biscuits

Roques & Dormal

Il a neigé !

Roques & Dormal

Roquez & Dornal

Piste 1

Boule de neige

Piste 2

Roques & Dormal

Bobby 2

Le mois de décembre doit être terrible pour toi, Bobby.

Pourquoi, ma petite chérie?

Ben tous les parents se disent que leurs enfants vont être gavés par le Père Noël. Alors ils t'achètent plus rien.

Ooooh... ...tu sais... ...heeeu... ...ouiiiii...

Je vais écrire au Père Noël pour qu'il te fasse un gros cadeau.

Au revoir!

Elle t'aime beaucoup!

Et plus elle te plaint, plus elle t'aime.

Mais si elle apprend qu'elle se fait des illusions sur Noël et que c'est le mois où tu te remplis le plus les poches...

...elle sera déçue... ...déçuuue...

Enfin... c'est pas moi qui lui dirai parce que j'aurai la bouche trop pleine du gros caramel que tu vas me donner gratis.

Toi, tu crois encore au Père Noël.

Roques & Dorinal

Oh ! T'es passée sous l'échelle ! Ça porte malheur !

Pfff ! T'es neuneu pour croire à un truc pareil !

Toi aussi t'es neuneu puisque tu crois à un truc comme le Père Noël !

J'y crois pas du tout !

Menteuse !

De toute façon, c'est très bien ! Si les bonnes créatures magiques comme le Père Noël n'existent pas...

...eh ben les monstres n'existent pas non plus !

Sauf les parents qui m'ont fait gober ce bobard !

Roques & Dornal

Père Noël 3

Roques & Dormal

Roques & Dormal

Pardonne-moi, Ana Ana! J'ai dit n'importe quoi.

Maintenant je vais te parler scientifiquement du Père Noël. Regarde cette étoile, là.

Un astronome te dirait qu'elle n'est pas réellement là où tu la vois mais un peu à côté. Ça s'appelle l'aberration.

Eh bien, il y a aussi l'aberration du Père Noël: il est à côté de l'endroit où on le croit!

Mais l'étoile, je la vois! Le Père Noël, je le vois pas.

Si! Avec les yeux de l'esprit. En imagination.

NON!

Bon, alors qui t'a apporté ces peluches?

Le Père Noël.

Eh ben voilà! Tu ne le vois peut-être pas mais tu sais qu'il existe!

Vraiment... la seule chose qui pourrait t'inquiéter, c'est que... tu as tellement de jouets... est-ce que le Père Noël voudra encore t'apporter quelque chose?

BOUUU!

Alors?

Ben je crois qu'il pleure, lui aussi.

Roques & Dormal

Père Noël 6

Père Noël 7

Jouets

Père Noël 8

Patinage 1

Roques & Dormal

40

Patinage 2

Roques & Dormal

Piéton

Roques & Dormal

Élégance

Roques & Dormal

Flammes

Pourquoi les flammes vont vers le haut ?

Heu... sans doute parce qu'elles chauffent l'air autour d'elles... Et l'air chaud étant plus léger que l'air froid...

...'l monte en entraînant la flamme.

C'est beau, une flamme.

Et comme Mamite pense qu'elle a bien répondu, elle a de belles flammes dans les yeux.

Roques & Dormal

Verre d'eau

Tu n'as pas beaucoup bu aujourd'hui.

Berk ! Un si beau verre rempli d'eau ! C'est une hérésie.

Mais non ! L'eau, c'est ce qu'il y a de plus normal pour un verre.

Mon petit vieux, si tu arrives à me prouver ça, j'avale non pas un mais deux verres d'eau !

Eh ben là où il y a le plus d'eau, c'est à la mer...

...et à la mer, il y a plein de sable. Et c'est avec du sable fondu qu'on fait le verre.

Roques & Dormal

Neige 2

Roques & Dormal

Noël

Roques & Dormal